LE ROI
DES
DEVINETTES

Ce livre appartient à

Mélissa Daigneault

Les éditions Scholastic Copyright © 1994 Sylvie Daigneault

Dans la même collection :

LE ROI
DES
DEVINETTES

Gisela Tobien Sherman

couverture de
Ron Lightburn

illustrations de
Susan Gardos

Texte français de François Renaud

Les éditions Scholastic

Données de catalogage avant publication (Canada)

Sherman, Gisela Tobien, 1947-
  [King of the class. Français]
  Le roi des devinettes

Traduction de: King of the class.
ISBN 0-590-74769-X

I. Titre. II. Titre: King of the class. Français.

PS8587.H373R75 1995   jC812'.54   C94-932623-2
PZ23.S54Ro 1995

5 4 3 2 1   Imprimé au Canada   5 6 7 8/9

À mes enfants
Becky, Jainna et Charlie
qui me donnent inspiration et amour,
cheveux blancs et gaieté

Chapitre 1

La boîte mystérieuse

Jonathan Dalmas regarde René Simon déposer la boîte sombre sur le bureau du professeur. Dans la classe, tous les yeux sont rivés sur la grosse forme cubique; quand René secoue la boîte, tous les élèves tendent l'oreille. Ceux de la première rangée se penchent même pour essayer de renifler une odeur.

Amanda Larose lève la main.

— Est-ce que c'est gros?

— De la même grosseur que la boîte.

— Wow!

Tout le monde est impressionné.

Ça gigote à l'intérieur de la boîte.

— Est-ce que c'est vivant? demande Tran.

— On jurerait que oui, répond René avec un petit sourire.

— Incroyable, murmurent les élèves, bouche bée, les yeux tout grands ouverts.

Tous les élèves lèvent la main pour poser une question. Tous, sauf Jonathan.

— Est-ce que ça a des piles? crie Julien Décarie.

— Oui, répond René en hochant la tête.

— C'est un jouet! s'écrient les élèves.

— C'est terminé; les quatre questions sont épuisées, coupe monsieur Battagelli. René, montre-nous ce que c'est.

René ouvre la boîte et il en sort une énorme figurine représentant un lutteur. Le personnage porte un serre-tête noir, un short noir et une cape, noire également. La poitrine et les bras sont formés de puissantes boules de muscles.

— C'est le Ninja Knockout! s'écrient les

élèves. Le lutteur le plus rusé de l'histoire.

Les élèves se bousculent pour s'approcher.

— Je les ai vus à la télé. Ce sont les meilleurs.

René appuie sur un bouton au dos du lutteur et ses bras se mettent à fendre l'air, à la manière d'un karaté-ka. *Tchak, tchak, tchak.*

— C'est toujours René qui apporte les meilleurs trucs, dit Michel. On ne peut même pas encore acheter ce jouet au Canada.

Le Ninja Knockout lève la jambe gauche, pivote sur la jambe droite, puis frappe l'air avec une telle rapidité que les élèves de la première rangée reculent, surpris.

Même monsieur Battagelli est épaté et se penche pour toucher.

— *Hi-ah-ya!* hurle la poupée en faisant une pirouette dans les airs.

Le professeur sursaute et tout le monde se met à rire.

— Comment l'as-tu eu?

— Est-ce que je peux jouer avec à la récréation?

— Vas-tu l'apporter chez moi, samedi?

demande André.

Jonathan est surpris.

— Hé, André, je croyais que tu venais chez moi, samedi.

— Désolé, Jonathan, j'ai oublié. Qu'est-ce que tu dirais de samedi prochain?

Tous et chacun veulent toucher au Ninja Knockout. René est de nouveau le centre d'attraction.

— Un peu de silence, réclame monsieur Battagelli en claquant des mains. Nous avons encore du temps pour un autre. Jonathan.

Jonathan reste assis à sa place, tandis que René, toujours entouré par les curieux, remballe le Ninja Knockout dans sa boîte.

Avec ma figurine en plastique de Wayne Gretzky, je vais avoir l'air d'un idiot, se dit-il. Tous ceux qui achètent des céréales Rondelles de Blé peuvent en avoir une gratuitement dans la boîte.

— Jonathan, c'est à toi, rappelle monsieur Battagelli.

Pourquoi faut-il toujours qu'il ait son tour le

même jour que René?

Il s'amène devant la classe en se traînant les pieds. Il garde son petit Wayne Gretzky de plastique caché entre ses deux mains. Est-ce qu'il y en aura seulement un pour lui poser une question?

— Est-ce que ça a des piles? demande Johanne.

— Non. Oooups!

Jonathan est si nerveux qu'il en échappe son Wayne Gretzky sur le plancher.

Tout le monde peut voir la figurine.

— J'en ai trouvé une pareille dans ma boîte de céréales, dit Michel.

— Moi aussi, crie Julien. Mais elle est déjà brisée.

Il n'y a pas d'autres questions et Jonathan retourne s'asseoir à sa place.

— C'est tout pour aujourd'hui, annonce le professeur. Maintenant, veuillez sortir vos cahiers d'exercices, s'il vous plaît.

La période des devinettes a toujours été ma préférée, se dit Jonathan. Pourquoi est-ce que je n'aime plus ça maintenant?

Il jette un coup d'œil du côté de René et fronce les sourcils.

Chapitre 2

Fini les jouets

Vendredi, juste avant le signal du départ, monsieur Battagelli s'adresse à sa classe.

— Mesdemoiselles, messieurs, pour la période des devinettes, vous apportez trop souvent des jouets. Cela pourrait aller si vous étiez en maternelle, mais vous êtes en troisième année.

—Ouais. On est plus intelligents que les bébés de maternelle, réplique Marc.

— Faux. Vous êtes plus vieux... et vous avez

peut-être acquis un peu plus d'expérience, réplique-t-il à Marc, tout en tortillant sa moustache. Cette semaine, ajoute-t-il, en indiquant le tableau, nous avons étudié la famille. Pour notre prochaine session de devinettes, je vous demande d'apporter quelque chose qui intéresse les membres de votre famille.

Un murmure parcourt la classe.

— Mon jeu de Nintendo intéresse vraiment les membres de ma famille, lance Julien.

— Plus de jouets, dit monsieur Battagelli, l'air très sérieux. Vous devez certainement avoir d'autres centres d'intérêt dans votre vie.

La cloche sonne, marquant l'heure de rentrer à la maison.

En enfilant moufles et parkas, chacun essaie de se rappeler ce que sa famille a fait d'intéressant ces derniers temps.

— J'ai bien aimé ta figurine de Wayne Gretzky, dit Amanda, en marchant aux côtés de Jonathan dans le corridor.

— Merci.

— Pour la période des devinettes, je n'ai pas envie d'apporter des objets qui se rapportent à nos études, ronchonne Amanda.

— Moi non plus. J'aime montrer mes jouets, dit Jonathan. Les jouets sont fascinants.

— Et j'aime voir ceux des autres, ajoute Amanda. Comme ça, je sais quels jouets j'aimerais avoir.

— En plus, c'est un bon prétexte pour apporter nos jouets à l'école et jouer avec. C'est aussi le seul moment où l'on peut parler par nous-même plutôt que de toujours écouter monsieur Battagelli.

Jonathan se sent bien à converser ainsi avec Amanda. Ils sont amis depuis longtemps.

— Amanda a un amoureux!

La remarque taquine vient de Myriam.

Amanda s'écarte vivement de Jonathan.

— Salut, Myriam. Je t'accompagne à la leçon de patinage, dit Amanda.

Les deux filles s'éloignent.

— Hé, Jonathan! Attends-moi, lance René.

Pourquoi devrait-il attendre René? Pour le

plaisir de voir tout le monde s'émerveiller devant son Ninja Knockout? Pas question. Jonathan fait mine de ne pas avoir entendu et traverse la cour de récréation en se faufilant derrière un groupe d'enfants.

Il débouche dans la rue derrière Marc, Tran et Christian. Ils glissent sur la glace et se font des blagues tout en se poussant les uns les autres.

Marc et ses copains jettent un regard à gauche, à droite et tout autour, puis se mettent à courir en direction de la colline.

Jonathan sait qu'ils se dirigent vers leur repaire secret. Il adore les repaires secrets, les codes secrets, les télescopes et inventer des aventures. Exactement le genre de choses qu'il avait l'habitude de faire avec Daniel.

Jonathan regrette que son meilleur ami, Daniel Miyata, soit déménagé en octobre dernier.

Il descend la rue, seul. La neige qui recouvre les pelouses est aussi propre et blanche qu'une feuille de papier à dessiner. Les semelles de ses nouvelles bottes laissent des empreintes au zigzag bien précis. Sur la première pelouse, il trace une piste en zigzag; sur la seconde, il dessine, en piétinant, une série de cercles et de carrés. Il s'arrête pour regarder ses traces. Magnifique.

Il marche à reculons jusqu'à ce qu'il tombe. Étendu sur le dos, il agite les bras et les jambes pour dessiner un ange dans la neige froide et légère. Plus loin, il court sur la pointe des pieds en laissant rebondir son sac à dos dans la neige. On dirait les empreintes d'un monstre.

Rendu chez lui, Jonathan se retourne pour admirer la longue série de motifs. Superbe. En piétinant, il trace les lettres de son nom sur la pelouse devant chez lui. Comme il termine, sa sœur Liliane remonte le trottoir à la course.

— Ce n'est pas nécessaire de rentrer à la course uniquement à cause de moi, lui dit-il en bougonnant. Je ne suis plus un bébé. Je peux attendre tout seul.

— Salut, Jonathan, soleil de ma vie, réplique Liliane. Papa et maman me paient pour être à la maison quand tu arrives.

— Ils feraient mieux de me payer, *moi*.
Comme ça je pourrais acheter quelque chose de
bien pour la période des devinettes.

— Ça suffit, cesse tes jérémiades. Maintenant
que maman travaille, c'est moi qui suis en
charge et tu devras t'y habituer.

Liliane déverrouille la porte, l'ouvre en la
poussant du pied, puis recule vivement.

Une comète noire suivie d'une queue battante
émerge subitement, saute sur Liliane et lui lèche
la figure.

— En bas! Descends, Gaspard!

Gaspard se rue sur Jonathan qui se laisse
renverser. Ils roulent et luttent dans la neige.
Gaspard pousse des gémissements et lèche son
visage. Jonathan le retient à bras-le-corps. Il
adore son chien.

Liliane lui lance la laisse et rentre dans la
maison.

Jonathan et Gaspard descendent la rue en
courant. Ils courent de long en large et font le
tour du champ situé au bout de la route. Il fait
bon courir vite, écharpe au vent, le cœur battant,

son chien à ses côtés. Jonathan exhale de petits nuages de vapeur dans l'air froid.

Ils s'arrêtent pour que Gaspard puisse renifler un buisson. Quand il relève les yeux, Jonathan aperçoit de loin René et un autre garçon qui marchent au bout de la route.

Jonathan repense à la période des devinettes de ce matin.

— Tout le monde trouve que René est tellement extraordinaire, grommelle-t-il en frappant des glaçons du bout du pied.

Gaspard vient caler son nez dans la moufle de Jonathan qui se penche pour le caresser.

— La prochaine fois, c'est moi qui aurai la meilleure devinette. Ce sera tellement bon qu'ils vont m'appeler ... le roi des devinettes. Le roi de la classe!

Chapitre 3

Le spectaculaire l'emporte

Jonathan passe la semaine à surveiller les membres de sa famille afin de trouver ce qui les passionne.

Son père est vraiment emballé par sa nouvelle voiture. Jonathan aussi. C'est une Pontiac rouge et il adore s'y balader en posant à son père des tas de questions à propos des boutons et des voyants lumineux. Mais il ne peut pas conduire la voiture jusqu'à l'école.

Pour Liliane, ce sont les vêtements neufs qui

la passionnent... de même que les finales de soccer de l'automne dernier. Elle devient quasi-hystérique quand Célestin Vanderkoort lui téléphone. Mais tout ça ne sert pas à grand-chose pour la période des devinettes.

Gaspard s'excite à propos de tout et de rien, mais Jonathan a déjà emmené Gaspard à l'école.

Bien sûr, il y a le nouvel emploi de sa mère.

C'est ainsi que, le samedi soir à la petite pizzeria du quartier italien, Jonathan demande à sa mère :

— Maman, est-ce que je peux t'emmener à l'école pour la période des devinettes?

— Quoi? Tu ne veux quand même pas m'emmener à l'école pour ça?

— Il y en a qui emmènent leurs animaux domestiques.

— Merci bien! Et pourquoi veux-tu m'emmener?

— Nous devons emmener quelque chose qui passionne notre famille.

La mère de Jonathan rougit, replace ses cheveux et sourit :

— Eh bien, merci beaucoup, Jonathan.

— Pourrais-tu faire quelque chose d'intéressant devant la classe?

Elle perd immédiatement son sourire.

—Eh bien, non. Tout ce que je peux faire, c'est montrer des dépliants sur les différentes essences de bois et les réalisations des Entreprises manufacturières de Grande-Vallée.

— Maman, les dépliants, ça n'intéresse personne.

Le lundi matin, c'est dans la boîte aux lettres que Jonathan découvre le sujet parfait pour la période des devinettes. Il est surexcité et convaincu que sa classe le sera également.

Ce même après-midi, Jonathan contient difficilement son impatience. Arrive enfin la période des devinettes. Les élèves s'assoient en cercle à l'avant de la classe; monsieur Battagelli leur jette un regard circulaire en souriant.

— Je crois que ce sera une intéressante période, dit-il. La semaine dernière, nous avons plutôt eu à deviner ce que vous aviez apporté...

— La période des devinettes! crie Julien Décarie.

— Maintenant, nous allons revenir à notre méthode habituelle de poser les questions après coup. Nous apprenons davantage de cette manière.

Tran est le premier. Il s'avance, la main dissimulée au fond d'un sac.

— Au mois d'août dernier, ma famille s'est passionnée pour le Festival du Cactus. Nous sommes montés dans la grande roue et, pour la première fois de notre vie, nous avons goûté à de la barbe à papa.

Tous les élèves hochent la tête et sourient. Pour chacun, le Festival du Cactus représente l'une des plus intéressantes journées de l'année. La préférence de Jonathan va à la balade dans le camion des pompiers. Il adore s'asseoir bien haut sur le siège du conducteur et actionner la sirène.

Tran retire sa main du sac.

— C'est pourquoi j'ai apporté ce gros cactus que j'ai gagné à la fête. Voyez à quel point les épines sont piquantes.

— Aviez-vous des cactus au Viêt Nam? demande Hélène.

— Non. À cause de l'humidité, nous avons beaucoup de plantes vertes et de fleurs colorées.

Vient ensuite Béatrice. Elle a à la main un pot de verre au fond duquel repose un bloc Lego d'une teinte jaune sale, maculé de taches brunes et de petits trous.

— C'est dégoûtant! s'exclame Christophe.

— Toute ma famille était très excitée le jour où j'ai avalé ce bloc. On m'a emmenée d'urgence à l'hôpital pour me pomper l'estomac.

— Pourquoi le bloc a-t-il l'air si dégoûtant? demande Michel.

— C'est l'acide de mon estomac qui a fait ça.

— Est-ce que ça t'a fait mal?

— Est-ce qu'on t'a donné de la crème glacée?

Béatrice doit répondre à une foule de questions. Et elle y répond comme si elle était médecin.

Myriam vient montrer son hamster dans sa

cage.

— Ma mère était très excitée quand Bouton s'est échappé de sa cage durant toute une semaine.

Elle écarte une poignée de lanières de papier journal et découvre cinq petits bébés couverts de duvet.

— Nous avons été très surpris quand Bouton a eu ses bébés. Maintenant, nous l'appelons Boutonnière.

Tout le monde s'agglutine autour de Myriam et sa cage.

— Quel âge ils ont? demande Abdou.

— Est-ce que tu vas les donner? demande André.

— Est-ce que je pourrai en avoir un? demandent Évelyne et Djebril.

Ensuite, c'est au tour d'Amanda d'exposer une petite pierre plate et pointue qui semble très affutée. Elle sautille d'excitation.

— Nous avions des Indiens dans notre cour.

Chacun se raidit sur sa chaise.

— Mon père creusait l'allée de notre nouvelle

maison lorsqu'il a trouvé ça. Au musée, madame Sauvage nous a dit que cette pierre avait au moins deux cents ans.

Les questions jaillissent de toute part.

— Qui étaient ces Indiens?

— Cette pierre a-t-elle déjà tué quelqu'un? demande Marc, en regardant l'objet avec respect.

— Est-ce que je peux y toucher? demandent tous et chacun, avec envie.

Devant le cercle d'élèves, Amanda a l'air d'un personnage très important. Aujourd'hui, la période des devinettes propose des objets très intéressants, mais Jonathan préfère encore le sien.

Finalement, son tour arrive. Il tire une enveloppe de sa poche, c'est une lettre de Daniel.

— Yeah! Notre bon vieux Dan! s'écrie Julien Décarie.

— Comment va-t-il? demande Tran, curieux.

— Je suis tout excité par cette lettre et je sais que vous l'êtes aussi. Daniel vous salue tous.

Jonathan montre la photographie de Daniel dans son nouvel uniforme de hockey, puis il lit la lettre à voix haute.

Daniel y parle de sa nouvelle maison à Edmonton. Elle est à proximité d'un centre commercial si énorme qu'on y trouve une patinoire et un jardin zoologique. Il y décrit à quel point les hivers sont froids.

Jonathan ne lit cependant pas le dernier paragraphe.

— C'était intéressant d'avoir des nouvelles de Daniel, dit monsieur Battagelli. La prochaine fois que tu lui écriras, salue-le de ma part.

— Dis-lui qu'il nous manque, ajoutent d'autres voix.

— Où est René? demande monsieur Battagelli. C'est à son tour.

— Me voici.

Du fond de la classe, René s'avance, en tenant un cahier devant son visage.

— Il y a une chose qui a vraiment excité ma famille, explique René. Ma mère a failli appeler le médecin.

Sur ces mots, il abaisse le cahier et adresse un large sourire à la classe.

— Yeurk! Il a les dents mauves!

Là-dessus, René tire la langue. Elle est mauve également.

— Dégoûtant!

— Super!

Toute la classe trouve ça fantastique.

— Comment as-tu fait ça?

Chacun brûle de curiosité.

— C'est facile, il suffit de ne pas se brosser les dents pendant deux ou trois jours...

— Je peux en faire autant, dit Christian.

— ...Ensuite, je mélange ensemble du colorant alimentaire rouge et bleu, et je me rince la bouche avec. C'est ce que je viens de faire dans le fond de la classe. On obtient des dents mauves comme par magie!

— Est-ce qu'on peut utiliser n'importe quelle couleur? demande Myriam.

— Bien sûr. Mais c'est le mauve qui tient le mieux sur les dents. En plus, ça donne un air sinistre, conclut René en lançant un autre sourire mauve.

Tout le monde applaudit. Il est évident qu'ils ont tous l'intention d'essayer.

— J'ose espérer que, dès ce soir, tu vas recommencer à te brosser les dents, dit monsieur Battagelli, en essayant de retenir un sourire. Maintenant, René, va te rincer la bouche.

Se tournant vers la classe, il continue :

— Toutes mes félicitations. C'était un excellent exercice, tout simplement splendide. Vous voyez bien que vous n'avez pas besoin de jouets.

Au son de la cloche, les élèves se ruent dehors en discutant de ce qui vient de se passer.

— C'est René qui m'a le plus surpris, dit quelqu'un.

Tous lui demandent de voir sa langue encore une fois. Jonathan marche discrètement derrière le groupe. Il pense au dernier paragraphe de la lettre qu'il a reçue le matin même. Daniel lui annonce que son voisin est devenu son ami. Jonathan déteste savoir que

Daniel a un nouvel ami.

Le vendredi après-midi suivant, monsieur Battagelli s'adresse de nouveau à sa classe.

— Jusqu'à maintenant, pour notre période de devinettes, nous avons choisi des objets que nous pouvons voir et toucher. Je vous propose maintenant d'utiliser tous nos sens. La prochaine fois, apportez quelque chose que nous pourrons entendre, goûter ou sentir.

Il y a quelques murmures dans la classe. Quelqu'un éclate même de rire.

Ça s'annonce bien, se dit Jonathan, qui a déjà une formidable idée. Monsieur Battagelli veut des odeurs? Je vais apporter l'objet le plus puant qu'on puisse imaginer.

Chapitre 4

Quelle est cette odeur?

En bondissant, Jonathan prend place sur le siège arrière de la voiture.

— Comme ça, ils veulent des odeurs pour la période de devinettes? Eh bien, je vais leur apporter quelque chose qui va leur faire exploser le nez!

Tandis que Jonathan rit de sa blague, Liliane fait mine d'avoir un haut-le-cœur.

La voiture prend un virage et emprunte la route des Sources.

— C'est là! C'est là! s'écrie Jonathan, en s'agitant sur son siège.

De son côté, Gaspard gratte la vitre et agite sa queue dans le visage de son maître.

— Jonathan, calme-toi, prévient son père. Cette route est glissante et je dois me concentrer.

— Je ne peux pas, je suis trop excité. Je vais être le meilleur!

— Est-ce vraiment si important que tu sois le meilleur?

— Absolument.

— Mais pourquoi?

— C'est amusant. Chacun va me poser un tas de questions. Je veux qu'ils croient que je suis spécial. Je veux être le roi des devinettes.

— Nous, nous savons déjà que tu es quelqu'un de spécial, lui dit sa mère, en lui ébouriffant les cheveux.

Le père de Jonathan reste songeur un moment.

— Les rois sont souvent très seuls, dit-il. Tu n'aimerais pas mieux que les autres pensent à toi comme à un bon ami?

Là-dessus, il arrête la voiture en bordure de la route et Jonathan saute dehors.

— Eurk! Les œufs pourris! Ce truc-là pue vraiment. J'adore!

— Jonathan... le chien!

Trop tard. Gaspard a déjà doublé Jonathan et file en direction de la mare malodorante.

— S'il se roule là-dedans, il ne remonte pas dans notre voiture neuve, dit son père.

Jonathan se met à la poursuite de son chien. Gaspard renifle l'eau sulfureuse, puis relève la tête, l'air dégoûté, avant de repartir à la course en direction du boisé.

Jonathan le rappelle et le met en laisse. Ensuite, ils s'approchent tous les quatre pour regarder la source d'eau sulfureuse qui jaillit d'une fente dans la pierre.

— Je me demande pourquoi l'eau sulfureuse ne gèle pas en hiver? Probablement parce qu'elle sent trop mauvais.

Sa mère laisse tomber une pièce de dix cents dans l'eau. Elle la regarde couler au fond, puis jette deux autres pièces, l'une de cinq cents, l'autre d'un cent, qui vont rejoindre la première.

— Maman, pourquoi tu fais ça? demande Liliane.

—Quand j'étais jeune, je plaçais des pièces de dix cents sous ce jet d'eau. En quelques secondes, elles devenaient toutes noires.

Jonathan regarde les pièces de monnaie au fond de l'eau. Elles n'ont pas changé de teinte.

— Je suppose qu'aujourd'hui les pièces sont frappées dans un métal différent, dit son père.

Ils font une courte balade à pied en empruntant les sentiers. À l'ancienne station de chemin de fer, ils achètent du chocolat chaud, puis reprennent le chemin en direction de la voiture.

Jonathan va chercher sa cruche de plastique, la place sous le jet d'eau sulfureuse et la regarde se remplir de liquide nauséabond. Il est très excité.

—Fais attention de ne pas en renverser, le met en garde sa mère. La voiture pourrait sentir à tout jamais.

— Et ne l'approche pas de moi, prévient

Liliane, en s'asseyant le plus loin possible de son frère.

Le chemin du retour se fait dans une odeur d'œufs pourris. Monsieur Dalmas doit même baisser sa vitre. Jonathan sourit.

— Nous allons laisser ça dans la cour pour le reste de la fin de semaine, annonce sa mère, une fois rendus à la maison.

Le lundi midi, Jonathan transvide une partie de l'eau sulfureuse dans une petite bouteille de plastique. Parfait! Ça sent encore plus mauvais que la couche de son petit cousin.

Il cale ensuite la bouteille dans la poche de son jean et se rend à l'école en fredonnant.

C'est presque l'heure de la récréation. Jonathan s'affaire à transcrire un résumé de lecture en essayant de ne pas penser à la période des devinettes qui suit.

— Hé! Qu'est-ce qui sent mauvais comme ça? demande Abdou.

Chacun se met à renifler l'air.

— Il y a vraiment quelque chose qui pue!

— Eurk! Un gaz mortel, dit Marc, en se

laissant tomber au sol, faisant mine d'être mort.

Jonathan hume l'air à son tour. Qu'est-ce que c'est que cette odeur écœurante? Les œufs pourris!

D'où est-ce que ça peut venir? Il baisse les yeux vers ses jambes, puis sursaute vivement en retenant un cri. C'est de lui qu'émane cette odeur!

— Ça sent plus mauvais qu'un dépotoir en juillet, grimace André.

— Écœurant! Qu'est-ce que c'est? se demandent les élèves tour à tour en jetant un regard circulaire sur la classe.

Jonathan baisse les yeux et regarde son jean. La bouteille a dû couler et il est imbibé d'eau sulfureuse.

— C'est Jonathan! Il sent plus mauvais qu'une mouffette effrayée, annonce Christophe, en se pinçant le nez et en roulant de grands yeux.

Tout le monde fixe Jonathan du regard.

Il se recroqueville sur sa chaise pour se faire le plus petit possible. Il se sent rougir et devenir brûlant. L'odeur de pourri lui fait lever le cœur.

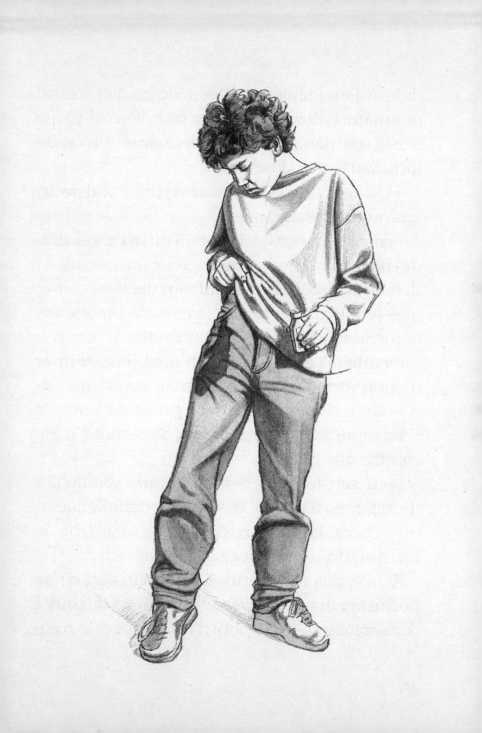

— Allons, allons, un peu de calme, s'écrie monsieur Battagelli, en claquant des mains.

— Jonathan, c'est toi? demande-t-il en se tortillant la moustache.

— C'est... c'est ma devinette, monsieur, marmonne Jonathan.

Toute la classe rugit de rire. Tous à l'exception de Béatrice. Elle est allergique aux œufs et demande à se rendre à l'infirmerie.

— Jonathan, s'il te plaît, viens avec moi dans le corridor, dit monsieur Battagelli.

Jonathan ne bouge pas. S'il se lève, tout le monde verra le cerne trempé sur son jean.

— Tout de suite, Jonathan.

La moustache de monsieur Battagelli s'agite comme une grosse chenille.

Pour se cacher, Jonathan attrape son cahier d'exercices. Il se lève et s'avance dans l'allée.

— Qu'est-ce qui t'arrive? Tu as mangé trop de fèves au déjeuner? lance Christian.

Rendu dans le corridor, Jonathan sort de sa poche une bouteille à moitié vide qui dégoutte sur ses mains.

Il explique son idée de devinettes.

Monsieur Battagelli lui donne une petite tape amicale dans le dos et l'envoie se doucher dans le local du concierge en l'avisant de se changer et de mettre ses vêtements de gymnastique. Il ne lui dit pas à quel point son idée était bonne.

Il ne peut rien m'arriver de pire dans la vie, se dit Jonathan en descendant lentement vers le local du concierge. Rien ne pourra jamais être pire que ça. Pas vrai?

Chapitre 5

Doublement chanceux

Jonathan a peine à croire à quel point il est chanceux. Doublement chanceux.

C'est samedi. Hier, il était plus que content que la semaine d'école se termine enfin. Toute la semaine, ses camarades de classe l'avaient surnommé «la mouffette». Ce n'est pas exactement le genre d'attention que Jonathan apprécie. Il espère que, lundi prochain, ils auront oublié.

Mais sa chance vient de tourner, il le sent. Son

père est rentré à la maison avec l'ultime cadeau.

— Mon fils, tu as eu une semaine difficile à l'école... dit-il en lui offrant un paquet tout en longueur.

Jonathan s'empresse de l'ouvrir en déchirant le papier. Un bâton de hockey «Luminicompte»!

Il n'en croit pas ses yeux. Le bâton est d'une belle couleur orange phosphorescent et la lame est faite d'un caoutchouc spécial qui projette la rondelle avec une puissance accrue. C'est le meilleur bâton de hockey sur la planète.

Il serre son père dans ses bras. Il en fait autant avec Gaspard, puis avec son nouveau bâton de hockey.

Mais ce n'est pas tout.

Vendredi, monsieur Battagelli avait donné ses nouvelles directives concernant la période de devinettes.

— Au cours des deux prochaines semaines, nous allons travailler sur le thème de l'hiver. Nous allons lire des contes, faire quelques expériences et pratiquer certaines activités en rapport avec la glace et la neige. Nous allons également étudier quelques sports d'hiver; j'ai d'ailleurs prévu une «journée blanche».

Toute la classe avait réagi en applaudissant.

— C'est pourquoi, pour nos périodes de devinettes, je vous prie d'apporter des objets en rapport avec le thème de l'hiver.

Au cours des deux prochaines semaines, les cours allaient être intéressants, la période de devinettes aussi.

Que peut-on imaginer de plus hivernal que le hockey? Jonathan soupçonne que monsieur Battagelli ne sera peut-être pas d'accord avec l'idée du bâton de hockey. Après tout, c'est une sorte de jouet. Mais les copains vont adorer.

Arrive le grand jour. Jonathan apporte son bâton de hockey à l'école. Il l'emballe dans deux sacs à poubelle bourrés de journaux pour en déguiser la silhouette et cache son paquet dans le placard de monsieur Battagelli. Ça va être toute une surprise.

Après la récréation, Jonathan se hâte de récupérer son bâton et d'aller s'asseoir à sa place. Il est fin prêt pour la période de devinettes.

Amanda montre l'un des trophées qu'elle a gagné en patinage artistique. Chacun avoue qu'il aimerait bien en gagner un semblable.

— J'ai trouvé ce livre sur les ours polaires, dit Djebril. Il y a des photos superbes.

Sur une des photos, on peut voir un ours en train de dévorer un phoque. Intéressant, en effet.

Jusqu'à maintenant, ce n'est pas mal, se dit Jonathan, mais ils n'ont encore rien vu.

Au tour de Béatrice de s'avancer. Elle déroule une grande radiographie.

— C'est une radiographie de mon bras. Vous vous souvenez que, l'an dernier, je m'étais cassé un bras en skiant?

Monsieur Battagelli lui suggère de tenir la radiographie devant la fenêtre. À contre-jour, on aperçoit très nettement le profil pâle des os. Béatrice a droit à une foule de questions.

Jonathan trouve plutôt étrange de regarder Béatrice et l'image de son squelette en même temps.

Quand vient son tour, Julien Décarie s'amène en trombe à l'avant de la classe.

— J'ai inventé des boules de neige supersoniques, hurle-t-il à l'assemblée. Pour plus de vitesse, je leur ai donné une forme ovale. J'ai ajouté du colorant alimentaire rouge et je les ai fait geler dans le congélateur.

— *Ta-da-dam!* Les voici : les boules de neige supersoniques Julien Décarie! annonce Julien, en ouvrant sa boîte à lunch.

Il en sort une, mais c'est une gibelotte rose qui lui coule entre les doigts et s'écrase sur le plancher.

Dans la classe, c'est un mélange de huées et d'applaudissements.

Monsieur Battagelli agite ses moustaches et envoie Julien chercher une serpillière.

Jonathan se prépare et retire un des sacs qui recouvrent son bâton. C'est bientôt son tour, juste après René.

— En fin de semaine dernière, mon père m'a emmené au Forum. Il m'a acheté ceci.

Jonathan devient nerveux.

René déplie une couverture et en sort un bâton «Luminicompte» d'un vert brillant.

— Brett Hull, Patrick Roy et Kirk Muller y ont signé leurs noms. Regardez, dit-il, en levant son bâton pour bien montrer les autographes.

Une sorte de folie s'empare de la classe.

— Tu as parlé à Brett Hull?

— Patrick Roy a touché à ton bâton!

— Laisse-moi voir.

Chacun veut toucher le bâton de René. Tout le monde a une question à poser. Ça prend une éternité à monsieur Battagelli pour ramener l'ordre dans la classe.

— À toi, Jonathan.

Avec son simple bâton, comment pourrait-il rivaliser avec René? Impossible.

— J'ai oublié.

— Ne sois pas timide, l'encourage monsieur Battagelli. Je peux voir que tu as quelque chose dans ton sac.

— Montre-nous, dit Tran.

Jonathan tire son bâton «Luminicompte» de

son sac et, avec une grimace, l'agite en l'air.

— Wow! Un autre, dit André. Hé, René, qu'est-ce que Patrick Roy t'a dit?

Chacun attend la réponse.

C'en est fait de mon super-sujet de devinettes, se dit Jonathan. Mais qu'est-ce que je devrai donc faire pour me faire remarquer?

Chapitre 6

Retour à la case jouets

—Je tiens à vous dire que je suis très satisfait de vous, dit monsieur Battagelli, en s'adressant à la classe. Nous venons de conclure deux semaines passionnantes consacrées à l'étude de l'hiver. Vous ne trouvez pas que c'est beaucoup plus intéressant que de montrer des jouets?

Quatre élèves hochent la tête en approuvant.

— *Non-on... non, non, non...*, chantonnent la plupart des autres.

— Quoi? Vous préférez encore les jouets? s'exclame monsieur Battagelli, en faisant mine d'être outré.

— On aime les jouets, les jou-ets, les jou-ets, les jou-ets... scandent les élèves en chœur, en tambourinant sur leurs pupitres.

Monsieur Battagelli sourit.

Jonathan se demande bien pourquoi il tolère ce comportement.

— Vous avez gagné, dit le professeur.

Toute la classe réagit en criant et en applaudissant.

Jonathan ne comprend toujours pas pourquoi monsieur Battagelli continue de sourire.

— Vous aimez tous apporter des jouets pour la période de devinettes?

— Oui! répondent les élèves en hurlant.

— Bon, très bien. Puisque c'est comme ça, pour la prochaine période, vous pourrez apporter un jouet, mais... vous devrez l'avoir conçu et réalisé vous-mêmes. Je crois que cela sera notre meilleure période de devinettes de l'année.

Personne n'ajoute un mot. Tout le monde est comme assommé.

— Vous avez toute la fin de semaine pour trouver une idée. Rappelez-vous que la bibliothèque est une excellente source d'information. Vos parents peuvent vous aider un peu, mais n'oubliez pas que j'ai l'instinct du prof.

— Qu'cst-ce que vous voulez dire par là? demande Hélène.

— Que je sais très bien lorsque ce sont vos parents qui font le travail à votre place. Le résultat n'est pas aussi créatif.

Presque toutes les mains se lèvent en même temps. La confusion règne et chacun a une question à poser.

Après un moment, monsieur Battagelli cesse de répondre aux questions.

— Je suis convaincu que vous pouvez trouver les réponses par vous-mêmes, conclut-il. Il s'agit simplement de fabriquer un jouet, un jeu ou quelque chose avec quoi vous puissiez vous amuser.

Quelques élèves se mettent à sourire. On devine qu'ils ont déjà leur idée derrière la tête.

La cloche sonne.

— Attendez! Ne partez pas tout de suite, ordonne monsieur Battagelli. Je viens d'avoir un éclair de génie.

— Ho-non. Qu'est-ce qu'il y a encore? marmonne Marc.

— Je tiens à ce que vous disposiez tous de la même période de temps pour vous préparer. C'est pourquoi je vous propose de présenter tous vos projets le même jour... disons jeudi après-midi. Ce sera une journée spéciale.

Les élèves approuvent l'idée.

— Ce sera une grande «Foire des jouets».

— Vous voulez dire comme la Foire des sciences des élèves de cinquième et sixième années? demande Amanda.

— Exactement, mais ce sera une foire consacrée aux jouets.

Une Foire des jouets! Ça promet d'être passionnant! Les élèves s'habillent et quittent l'école dans une atmosphère survoltée.

Après son match de hockey du samedi, Jonathan se rend à la bibliothèque et passe un long moment à chercher des livres sur le sujet.

— Beaucoup d'élèves sont déjà venus chercher des livres se rapportant aux jouets, dit la bibliothécaire. Votre classe prépare-t-elle un projet de recherche?

— Oui, répond Jonathan.

— Dans ce cas, tu ne peux prendre que deux livres sur le thème des jouets. Je dois essayer de répartir les livres le plus équitablement possible.

Jonathan retourne dans les rayons et choisit également des livres à caractère scientifique.

Rendu à la maison, il les feuillette. Il a le cerveau embrouillé. Aucune idée brillante ne germera là-dedans aujourd'hui. Il attrape une balle et son bâton «Luminicompte» puis, suivi de Gaspard, il sort dehors.

Jonathan lance la balle contre la porte du garage. Super! Ce que la balle voyage vite! Il imagine les contours d'un filet sur la porte et s'amuse à viser les coins supérieurs.

— Bon lancer. Comment fais-tu pour soulever la balle comme ça? lui demande une voix dans son dos.

Jonathan sursaute, surpris.

— Merci, dit-il en relevant les yeux.

C'est René. Tandis que Gaspard accourt vers lui pour le renifler, Jonathan reprend ses lancers de pratique. Il devine la présence de René, debout derrière lui, en train de flatter Gaspard tout en l'observant.

Jonathan frappe de travers et la balle fait un bond capricieux, au-dessus de lui, sur la gauche. Gaspard se précipite à la poursuite de la balle et l'attrape dans sa gueule.

— Laisse ça, Gaspard! Laisse la balle! crie Jonathan.

Gaspard laisse tomber la balle juste devant René. Avec son bâton vert, René lance solidement la balle en direction du garage. Vivement, Jonathan s'empare du retour. Tout en visant le filet, il jette un coup d'œil de côté.

René est planté là avec un petit sourire. Son fichu bâton autographié en main, il attend, prêt

à faire un autre lancer.

Pas question, se dit Jonathan.

Pendant ce bref moment, il a perdu la balle de vue et manque le rebond. Toujours souriant, René saisit le retour et lance de nouveau. Cette fois, Jonathan est prêt et il contrôle la balle avec la lame de son bâton. Avec un haussement d'épaules il lance la balle de manière à ce que le rebond aille vers René. Après tout, pourquoi pas?

Pendant un petit moment, ils prennent des lancers sur la porte du garage, puis ils s'entraînent à se faire des passes.

— Le seul défaut de ces bâtons, c'est qu'on n'a pas tellement de plaisir à jouer tout seul, dit René.

Jonathan devine ce qu'il ressent.

— Ça te dirait de savoir soulever la balle comme je le faisais tout à l'heure?

— Certainement!

Plus tard, en s'assoyant pour se reposer, Jonathan et René découvrent qu'ils collectionnent tous deux les cartes de hockey.

René en a quelques-unes qu'il désire échanger.

— Je pourrais les apporter demain après-midi, propose René.

— C'est d'accord.

Jonathan rentre souper en sifflotant. Juste avant d'aller au lit, il fait le tri de ses cartes de hockey, puis se replonge dans ses livres de bibliothèque.

Soudainement, au chapitre sur les aimants, elle est là! Une idée de jouet extraordinaire!

Chapitre 7

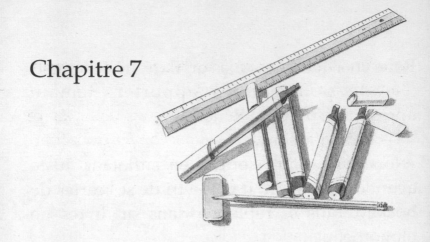

Les grandes inventions

Dimanche matin, Jonathan se lève tôt et relit le chapitre traitant des aimants. Ensuite, il se met à rassembler ce dont il aura besoin pour réaliser son projet.

Sous son lit, il retrouve son livre sur les labyrinthes. Ensuite, il se met à la recherche du jeu d'aimants qu'il avait reçu dans son bas de Noël, puis se rend dans le bureau de sa mère pour y chercher des trombones format géant.

—Que fais-tu dans mon bureau? lui demande

sa mère, debout dans l'embrasure de la porte, l'air endormie et contrariée.

— Désolé, m'man. Je ne voulais pas te réveiller pour te demander cela, dit Jonathan, en lui expliquant le projet de Foire aux jouets.

— Cela me semble très amusant, dit-elle. Si seulement nous avions pu faire des trucs comme ça quand j'allais à l'école!

Elle va à son bureau et en sort les trombones, puis elle l'aide à dénicher un grand morceau de carton.

— Est-ce que ceci ferait l'affaire? demande-t-elle en lui montrant le couvercle d'une boîte servant à ranger des enveloppes de grand format.

— Parfait, dit Jonathan, en l'emportant sur la table de la salle à manger où le carton rejoint le reste de son matériel.

— C'est toute l'aide que j'ai le droit de recevoir de ta part, maman. Mais j'ai beaucoup aimé travailler avec toi.

— Moi aussi, dit-elle en souriant. Est-ce que j'ai le droit de venir de temps à autre voir comment tu te débrouilles?

— Bien sûr.

Jonathan étale ses feutres — ceux qui sont phosphorescents — ses crayons, sa gomme à effacer et une règle. Il est fin prêt pour un sérieux travail de construction.

Jonathan est tellement concentré qu'il ne remarque pas à quel point le temps passe vite.

— Hé Jonathan, le dîner est prêt, lui lance Liliane à 12h 30.

Elle s'approche et jette un œil sur son travail.

— Hé, c'est vraiment bien fait, dit-elle.

Après le dîner, René vient faire son tour. Jonathan se surprend à éprouver du plaisir à le revoir.

— Tout à l'heure, après le dîner, mon père m'a acheté d'autres cartes de hockey. Maintenant, j'en ai encore plus à échanger.

Ils étalent leurs livres et leurs cartes sur le plancher de la chambre de Jonathan, mais celui-ci prend soin de tenir René à bonne distance de la salle à manger.

Une fois qu'ils ont regardé leurs collections réciproques, ils s'amusent à faire courir les petites autos de Jonathan entre des blocs de bois. Le père de Jonathan leur apporte des beignets. Ils s'assoient sur le lit de Jonathan, flattent Gaspard et discutent.

René lui parle de son ancienne équipe de soccer et de la maison qu'il habitait à Rimouski. Jonathan comprend que tout cela lui manque.

— Ici aussi, tu peux faire partie d'une équipe de soccer. C'est bientôt le temps des inscriptions.

— Super! Où faut-il aller?

Pendant un bref moment, Jonathan se demande pourquoi il fait tout cela, puis il regarde le visage réjoui de René.

— Il faut s'inscrire au parc Duchesne. Je peux t'y emmener... si tu veux.

— Oh oui! J'adore le soccer.

Ils discutent de sports, de l'école et des émissions de télé. René partage une bonne partie des goûts de Jonathan. La seule chose dont ils ne discutent pas, c'est de la prochaine période de devinettes. L'un et l'autre veulent garder leur projet secret.

Après le souper, Jonathan travaille encore un peu à son projet de jouet; le lundi soir également. Il sait que tous les autres enfants de sa classe sont tout aussi occupés. À l'école, on ne parle que du projet. On répond aux questions avec un sourire évasif, certains vont dans le placard de monsieur Battagelli pour chercher du matériel bizarre, d'autres laissent échapper de mystérieux indices. La vie à l'école est vraiment palpitante.

— Bon sang! Ce que je suis contente que nous soyons enfin jeudi! L'attente est en train de me rendre folle, s'exclame Amanda, en se rendant en classe en compagnie d'Abdou et de Jonathan.

Chacun transporte une grande boîte qu'ils manipulent avec beaucoup de soins.

Une grande affiche aux couleurs vives est collée sur la porte «BIENVENUE À NOTRE

FOIRE DES JOUETS».

Des ballons jaunes et rouges sont attachés au bouton de porte et d'autres flottent dans la classe. Le centre de la pièce est vide, car les pupitres ont été rangés le long des murs pour y déposer les projets.

— Ça va être le meilleur après-midi de toute l'année! s'écrie Julien.

Peu à peu, les élèves font leur entrée, chargés de mystérieux paquets. Certains enfants ont dissimulé leur création sous une couverture qui laisse deviner des formes bizarres; d'autres ont demandé à leurs parents de les aider à transporter les gros objets; le frère de Marc entre en traînant une énorme boîte de carton.

Ils mettent un certain temps pour disposer leurs projets sur les pupitres. Finalement, tout le monde est prêt et les élèves s'assoient tous au centre de la pièce.

— Je déclare la Foire aux jouets ouverte! annonce monsieur Battagelli.

Toute la classe l'acclame et applaudit.

— Hélène Châtillon, à vous l'honneur de

passer la première.

Hélène a fabriqué un jeu de société.

— Ça s'appelle «Courage, les jeunes» et ça se joue comme le Monopoly.

Jonathan comprend qu'elle a dessiné une série d'images qu'elle a collées sur un vieux jeu de Monopoly.

— Il s'agit d'échapper à toutes sortes de situations très dangereuses pour retrouver une formule volée et sauver le monde. Êtes-vous assez braves pour le faire?

Tout le monde applaudit et Hélène rougit.

André fait la lecture d'un conte dont le héros est un petit cochon domestique tout à fait farfelu. Il a lui-même écrit le texte et fait les illustrations.

— Cette histoire est tellement drôle! rigole Djebril.

— J'en ai mal au ventre! souffle Amanda, entre deux éclats de rire.

Monsieur Battagelli a l'air heureux.

Évelyne a fabriqué une poupée. À l'exception du nez, elle est très réussie.

Béatrice montre sa trousse de médecin. Alors qu'elle explique le fonctionnement du stéthoscope fabriqué à partir d'une corde à danser, Christophe l'interrompt

— Je ne me sens pas bien. Donne-moi quelques-unes de ces pilules.

Les bouteilles de pilules sont remplies de bonbons.

On montre des avions, des bateaux et des casse-tête. Il y a des instruments de musique qui produisent des sons bizarres, d'étranges machines qui sifflent et bourdonnent. Il y a même des personnages découpés dans du carton avec une garde-robe complète en papier.

Marc retire le drap qui dissimule une grosse forme dans le coin.

— Une auto «boîte à savon»!

— Super!

— Quelle vitesse ça atteint?

— Est-ce que je peux faire un tour?

La voiture a de vraies pédales. Le klaxon fait un bruit d'enfer. Des assiettes d'aluminium tiennent lieu de phares. Jonathan passe la main sur les bandes décoratives peintes en rouge.

— Tu es bien certain que tu n'as pas reçu l'aide de tes parents? demande monsieur Battagelli.

— Non, monsieur!

Monsieur Battagelli retrousse les sourcils.

— Bien... mon frère m'a aidé un peu, admet Marc.

Toute la classe éclate de rire.

Myriam a ramené ses hamsters. Maintenant, les bébés sont un peu plus gros.

— J'ai fabriqué des jouets pour mes hamsters, annonce-t-elle.

À partir de carottes et de pommes, elle a fabriqué une série de petites balles. Il y en a une qui est déjà à moitié mangée.

— Ce ne sont pas de vrais jouets, dit Michel.

— Bien sûr que si, réplique Myriam. Mes hamsters jouent avec. Personne n'a dit que nous devions faire des jouets pour le monde ordinaire.

Christian vient montrer son lance-pierre fait maison.

— Avec ce très gros élastique, il projette les

pierres plus loin.

Monsieur Battagelli frétille de la moustache.

— Au suivant, dit-il. Amanda Larose.

Après Amanda, il ne restera plus que trois élèves René, Julien et, finalement, Jonathan. Celui-ci peut difficilement tenir en place.

Chapitre 8

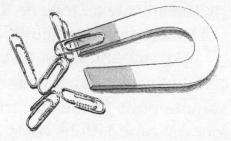

Les requins n'aiment pas les hamsters

À même le plancher de la classe, Amanda déroule un grand morceau de plastique sur lequel elle a peint sept carrés verts. Elle fait bondir une balle d'un carré à l'autre.

— J'ai inventé la balle à sept coins. C'est une combinaison du jeu des quatre coins et de la balle au camp, avec l'avantage qu'il peut y avoir plus de joueurs. Je vous explique les règles...

Jonathan devine qu'à la récréation, le sol va être couvert de carrés verts.

C'est ensuite au tour de René.

Il a fabriqué un kaléidoscope.

— J'ai collé trois miroirs côte à côte sur un carton. Ensuite, je les ai fait tenir avec du ruban gommé pour former un triangle et j'ai fixé le tout sur le fond. Vous voyez? dit-il, en soulevant l'objet avec soin.

La boîte triangulaire est décorée de couleurs vives; René a utilisé de la peinture phosphorescente.

— Quand j'y laisse tomber des morceaux de papier coloré, c'est vraiment magnifique. Regardez ces motifs.

Tout le monde se bouscule pour regarder. Ils sont tous fascinés.

— Regardez ce qui se passe quand on l'agite.

Hélène brasse la boîte, puis jette un coup d'œil à l'intérieur.

— Hé, c'est magnifique!

— Vous pouvez essayer avec des billes, des paillettes de plastique, des arachides ou ce qui vous passe par la tête.

Julien plonge la main dans l'appareil.

— Wow! J'ai des tonnes de doigts! crie-t-il à tue-tête.

—Monsieur Battagelli, nous devrions en faire un à notre prochain cours d'art plastique, dit Tran.

— Bonne idée, répond le professeur.

René va se rasseoir, l'air très content de lui.

Aujourd'hui, Jonathan ne s'en fait pas... mais il s'inquiète de son jouet.

Encore un autre, puis c'est son tour.

Jonathan est si nerveux qu'il écoute à peine Julien.

—Bienvenue au Super-Billard Julien Décarie!

L'appareil est construit avec des bandes élastiques, de la pâte à modeler, des blocs de bois et des billes, le tout assemblé dans un vieux plateau de bois qui servait à servir le thé. Comme Julien n'aime pas dessiner, il a décoré le fond avec des auto-collants.

— Et c'est parti! hurle-t-il.

— Regardez aller cette bille! s'écrie Marc, en sautant sur place.

— Cinq mille points pour moi!

Il faut un bon moment pour ramener tout le monde au calme avant le tour de Jonathan.

Les mains moites, le cœur battant, il soulève le couvercle qui cache son jeu.

— Et voici... «Sauvez-vous du requin!»

— Le requin a l'air féroce. Regardez, il bouge!

En souriant, Jonathan explique le fonctionnement de son jeu.

— Le requin poursuit le petit bonhomme dans le labyrinthe.

Il les fait avancer le long des courbes. (Son premier labyrinthe était carré, mais le bonhomme et le requin vont plus vite quand les coins sont recourbés).

— Comment tu fais?

— C'est simple. En réalité, les figurants sont des trombones métalliques sur lesquels j'ai collé des dessins.

— Il fait peur, ton requin!

— Pour faire bouger les personnages, je glisse ces aimants sous le carton. Vous voyez, gauche, droite, en haut, en bas. C'est plus facile quand il y a deux joueurs.

Chacun s'approche pour avoir son tour. Exactement ce qu'a toujours souhaité Jonathan. Il se sent comme un géant.

— Aaaaaah! Une sour-i-i-i-is! couine Béatrice.

Tout le monde se retourne.

— Oh, non! Mes hamsters se sont encore échappés, s'exclame Myriam, en se précipitant vers la cage vide.

— Aidez-moi à les chercher. Il faut absolument les retrouver.

Tous les élèves se lèvent et se mettent à regarder partout. Jonathan est catastrophé.

— En voici un, dit monsieur Battagelli en se baissant. Vite! Tout le monde aide Myriam à rattraper ses hamsters. S'ils se faufilent derrière les armoires ou les calorifères, nous serons incapables de les rattraper.

— Et ils vont mourir de faim, pleurniche Myriam.

— J'en ai un! annonce Djebril, en le montrant fièrement.

— Il en manque encore quatre, dit Myriam.

— Bougez lentement, sans faire de bruit,

prévient monsieur Battagelli.

Bientôt, la classe entière rampe à plat-ventre sur le plancher à la recherche des hamsters.

— C'est drôle, c'est comme un safari, chuchote Amanda.

Debout, seul au milieu de la pièce, Jonathan tient encore son jeu dans ses bras. Comment une chose pareille peut-elle lui arriver?

Le temps que tous les hamsters aient retrouvé leur cage, il est déjà l'heure de rentrer à la maison.

La Foire aux jouets est terminée.

Tout le monde est d'accord pour dire que c'est un grand succès. Ils se précipitent dehors, encore étourdis par l'excitation.

Personne ne se souvient que Jonathan n'a pas eu le temps de compléter la présentation de son jeu.

Personne, sauf Jonathan.

Chapitre 9

La meilleure récompense

Jonathan est assis à même le plancher de la classe vide et tient son jeu dans ses bras. Son merveilleux jeu de requin, ruiné par d'insignifiants hamsters.

En entendant ses camarades rire et crier dehors, Jonathan craint de se mettre à pleurer.

— C'est le jeu le plus formidable que j'aie vu de ma vie, dit René, en revenant dans la classe. D'où l'idée t'est-elle venue? demande-t-il, en s'assoyant à côté de Jonathan.

— J'adore les labyrinthes. En lisant sur les aimants, la connection s'est faite. J'ai simplement laissé l'idée faire son chemin.

— Est-ce que je peux l'essayer, demande René, l'air sincère.

— Est-ce que je peux regarder dans ton kaléidoscope?

— L'aimes-tu? demande René, l'air surpris.

— Oui. Moi aussi, j'aimerais en faire un.

Tandis que chacun joue avec le projet de l'autre, monsieur Battagelli apparaît dans l'embrasure de la porte. Il les regarde pendant un moment, puis se retire sur la pointe des pieds.

— Je vais te raccompagner jusque chez toi, dit René.

— D'accord.

Jonathan est encore ébranlé par le désastre de la période des devinettes, mais il se sent moins mal que tout à l'heure.

— Hier, j'ai reçu une lettre de mon meilleur ami de Rimouski, dit René, tout doucement.

— Ah oui?

— J'ai l'impression que je lui manque un peu moins. Il s'est fait un autre ami.

Jonathan comprend. Il lui parle de Daniel Miyata.

En arrivant dans l'allée devant chez lui, Jonathan dit à René

— Tu sais qu'on t'aime bien dans la classe. Tout le monde pense que ton kaléidoscope était super. Ici aussi tu vas te faire des amis.

— Probablement, mais je pense que c'est toi le plus intéressant.

— Tu penses vraiment ce que tu viens de dire?

Plutôt que de lui répondre, René lui lance une balle de neige et dévale la rue en courant.

— À demain, lance-t-il par-dessus son épaule.

Le lundi matin, monsieur Battagelli informe la classe qu'il a une annonce spéciale à faire.

— La semaine dernière, je vous ai dit à quel point j'étais fier de notre Foire aux jouets. J'ai exposé la plupart de vos projets dans les vitrines, à l'entrée de l'école.

Les élèves accueillent la nouvelle avec des

exclamations. Julien se lève et salue à la ronde.

— Certains de vos projets, comme plusieurs jouets que l'on retrouve sur le marché, s'inspirent de phénomènes scientifiques.

— Je me doutais bien qu'il glisserait des notions d'éducation dans tout ça, marmonne Amanda.

Les élèves sont méfiants. C'est comme si le profeseur transformait leur plaisir en cours de sciences.

— C'est pourquoi j'ai inscrit certains de vos jouets à l'expo-science des élèves de cinquième et sixième années. Malheureusement, j'ai dû le faire sans vous demander la permission et je m'en excuse...

Sur ces entrefaites, on frappe à la porte.

— ... Je suis heureux de vous annoncer que deux élèves parmi vous ont remporté des rubans.

Tran se lève pour aller répondre à la porte.

— Une deuxième mention honorable a été accordée à René Simon pour son kaléidoscope.

Tran ouvre la porte à deux étrangers qui

attendent dans le corridor.

— La première mention honorable a été décernée à Jonathan Dalmas pour son jeu d'aimants.

Toute la classe acclame la nouvelle avec des cris et des sifflets.

— Bravo, René! Bravo, Jonathan!

Jonathan n'en croit pas ses oreilles. Enfin il est le meilleur dans quelque chose.

Les étrangers font leur entrée, un homme avec un carnet à la main et une femme avec un appareil-photo.

— L'*Étoile du Matin* voudrait publier ta photo Jonathan. Pourrais-tu poser avec ton jeu?

Pour Jonathan, c'est comme si son rêve le plus fou se réalisait. Son jeu de *Sauvez-vous du requin* à la main, il prend la pose, en affichant un sourire vainqueur.

La photographe se met à prendre des photos. Jonathan se sent comme un roi. Par-dessus l'épaule de la photographe, Jonathan jette un coup d'œil sur le reste de la classe et se rappelle soudain ce que son père lui avait dit à propos

des rois.

— Attendez! dit-il.

— Quoi?

— René aussi a gagné, dit-il, en attirant René vers lui. Il mérite d'être sur la photo. En fait, il faudrait faire une photo de toute la classe. Tout le monde ici a préparé un projet pour la Foire aux jouets.

La classe réagit en poussant une longue acclamation.

— La Foire aux jouets? Quelle Foire aux jouets? demande le journaliste.

Comme tout le monde répond en même temps, le journaliste met un bon moment à mettre de l'ordre dans les informations.

— Tu as raison, dit-il finalement à Jonathan. C'est toute la classe qui mérite d'être le sujet de mon article.

Deux jours plus tard, l'article du journal est affiché sur le babillard de l'école. Une double page, illustrée de nombreuses photos, est consacrée à l'expo-science de l'école ainsi qu'à la Foire aux jouets de la classe de monsieur

Battagelli.

Sur la plus grande photo, on aperçoit Jonathan et René tenant leurs jouets primés.

— C'est très généreux de ta part d'avoir agi comme ça, lui glisse à l'oreille monsieur Battagelli.

— Je le sais. Mais c'est parce que j'ai réfléchi.

— Ah oui?

— J'étais très content d'avoir finalement gagné un prix, mais...

— Mais?

— Mais c'est encore mieux d'avoir un ami.

— Je crois que tu t'es fait beaucoup d'amis, Jonathan, dit monsieur Battagelli, en lui souriant.

Sur ces entrefaites, René s'amène et lui chuchote sur un ton surexcité :

— Hé, Jonathan. Après l'école, Tran, Julien, André et moi allons construire un fort sur la colline. Tu veux venir?

— Avec plaisir, dit Jonathan, en souriant à René, son meilleur ami.

Table des matières

À propos de l'auteure

Gisela Tobien Sherman, elle-même une ancienne «reine des devinettes» sait ce que c'est l'imagination. En cinquième année, elle a découvert que ses histoires faisaient rire. Plus tard, elle à été enseignante, bibliothécaire et professeure de création littéraire, mais créer des histoires et des personnages reste ce qu'elle préfère avant tout.

Gisela aime aussi «une maison pleine de gens tous occupés à quelque chose», comme sa maison, à Burlington, en Ontario : on y retrouve ses trois enfants, Becky, Jainna et Charlie, Frank son mari, sa nièce Heather, un chien et un chat.